都市时尚饮品

鸡尾酒

蓝永强 编著

廣东省出版集團
广东经济出版社

Contents 目录 >

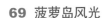

前言

品赏杯中万种风情

中华酒文化源远流长，博大精深。随着社会发展和物质文明的不断进步，人们的生活水平迅速提高，进而在饮食文化方面也产生了巨大的变化。其中酒文化的传承与演变，也呈现出时尚化、潮流化和多元化的趋势。今天，人们更加追求生活的品味，中西酒文化的相互渗透和融和，使酿酒和调酒都变成了一门艺术，而饮酒也成为了一种极具观赏性和娱乐性的生活时尚。本书所介绍的鸡尾酒，便是西洋酒文化颇具代表性的酒品，如今早已为国人所接受并发扬光大了。

由于酒的种类繁多，品种不一，各种酒的调配和饮用方法更是千变万化，但不管怎样变化，对于不同类型的酒，其色、香、味、美和健康保健的作用，都是不可或缺的。本书着重介绍最具时尚特色的鸡尾酒，从鸡尾酒的起源与文化特点，到调制鸡尾酒的各种基酒、辅料、杯具和调制方法都逐一向读者详细说明。书中还系统推介了忧郁的月亮、少女的祈祷、紫罗兰之恋、自由古巴等多达几十种经典的鸡尾酒饮品，包括长饮与短饮不同类型的简介和图解。全书图片精美，文字优雅，技巧浅显易懂，方便易学。本书既含科学性和专业性，可为调酒师案头必备之书；又有普及性，不失为一本家庭化的时尚饮品教科书。

当"泡吧"成为一种时尚的时候，五光十色的鸡尾酒正洋溢在林林总总灯红酒绿的各式酒吧之中，陶冶着人们的情操，点缀着多姿多彩的生活。

赖 咏

2005 年 3 月

　　失去激情是一种悲哀。有时候生活不会总是那么如意而令你骄傲，也会有一些沮丧的日子来临。这时候，一杯鸡尾酒将会把你带入到另外的一个世界里，让你激昂，使你能够重新面对生活。而在和朋友一起的愉快日子里，大家共同品赏属于自己的鸡尾酒，自然有另一番美妙的意境。

基础篇 ＞

鸡尾酒的故事

鸡尾酒起源于欧美。最早的时候，鸡尾酒是那些航海水手们的发明，他们将不同的酒混合成一种更易于入口的饮料，令味道和口感更加丰富，以使他们那些难熬的远航时光更多一些乐趣。后来这种调制和饮用方法流传到宫廷，因其口感舒爽、味道丰富，很快成为宫廷中的时尚饮品和尊贵之选。因此，鸡尾酒又被称为燃烧激情的饮料。

鸡尾酒是一种口味独特的混合饮料，它是由两种或两种以上的酒水，运用不同的混合手法调制而成。其丰富多彩的味道、缤纷梦幻的色彩，使鸡尾酒得以流行于世而历久不衰，且越来越受人们的欢迎。

鸡尾酒可以说是一种艺术品，它的创作并不是想当然的混合和调配。你要懂得各种酒的特性，要知道酒与酒之间搭配的味道，要掌握分量和调制的技巧，要学会装饰、用杯和取名，的确，要当一名调酒师并不容易。而出色的调酒师更懂得依照人的心情来创作，调制出符合你心情的鸡尾酒。那些喜悦的、沉默的、自怡的、哲学的、艺术的、道德的、美丽的心情，调酒师能看见这些不同灵魂，调制出适合灵魂安顿的鸡尾酒。

一杯完美的鸡尾酒就是这样外在和内在兼备的。但是你不一定要成为一名出色的调酒师，其实只要掌握要领，就可以为自己调配出一杯鸡尾酒，一杯你心情写照的鸡尾酒。

鸡尾酒 与 基酒 >

鸡尾酒是指两种或两种以上的饮料，通过一定的方法，混合、调配成一种新的、含酒精的饮品。鸡尾酒的基本成分是基酒、其他类别的酒和辅料。

基酒是指用于制作鸡尾酒时的烈性酒，烈性酒是一种酒精含量较高的饮料，其酒精含量都在40%以上，它是以植物，如大麦、小麦、玉米、水果、仙人掌等等，通过发酵，再蒸馏而成的。而用于制作鸡尾酒的烈性酒通常有六种，我们称之为六大基酒：白兰地、威士忌、毡酒、莱姆酒、伏特加、龙舌兰。

要调制出个性十足、口味特异的鸡尾酒，首先就是要了解六大基酒的特性。

白兰地 BRANDY

　　白兰地是由白葡萄酒蒸馏而成的，呈晶莹通透的琥珀色，经过长时间在木桶里陈酿，保持了水果（葡萄）特有的风味、香气，同时又吸收了木桶的幽香，酒香醇厚。

　　18世纪，由于战争，成桶的葡萄酒不便于运输，容易变质，聪明的荷兰人把葡萄酒蒸馏，提高酒精浓度，再入桶运输到其他国家销售。荷兰人把它称之为"BRANDEWIJIN"，意思是可燃的酒。后来战争结束后，贮藏在木桶中无色的液体，变成晶莹的琥珀色，之后英文名改为"BRANDY"。

　　白兰地的酿制过程：先是把葡萄园中收集的葡萄打烂，压榨成汁，再将葡萄汁和果渣一起放入发酵桶中自然发酵，慢慢变成葡萄酒，然后把葡萄酒注入铜制的大型蒸馏器中，分两次高温蒸馏。在蒸馏过程中，开头和最后一部分因含杂质而被取走，只留下中间70%的酒液。酒液被注入橡木桶中，运到酒窖中（陈年）储存。在陈年时，酒桶会渗入空气，酒通过木桶与空气接触，发生变化，吸收了木桶的颜色而变成琥珀色的白兰地酒。

　　最好的白兰地是由不同酒龄的酒混合而成的。酿酒大师会凭自己的经验去判断，哪桶酒与另一桶酒混合会比较好，他们依照自己的经验将酒液进行混合，调制出品质更高的白兰地。

　　法国白兰地驰名世界，以干邑区和雅文邑区的出品最为出名，法国政府有极为严格的规定，酒商不能随意自定酒的级别和名称。另外，美国、德国、中国等也生产白兰地。

威 士 忌
WHISKY

威士忌是一种烈性酒，它是用谷物（大麦、玉米、黑麦等）为原料发酵、蒸馏、陈年而成的。威士忌通过木桶的酝酿后，呈通透的琥珀色，散发出阵阵的麦芽香味和特殊的煤炭香味，令人赏心悦目，口感醇厚。

大约在4世纪左右，埃及人偶然发现在炼金术用的坩锅（熔炉）中放入某种发酵酒液会产生酒精度数强烈的液体，这便是人类初次获得的蒸馏酒的经验。这种酿酒法越过海洋，传到了爱尔兰，爱尔兰人用这种方法把当地的啤酒蒸馏后，产生了酒精强烈的酒液，当地人把它称之为生命之水，这便是威士忌。

威士忌的酿制过程：将大麦浸水发芽，用烟煤及木炭将麦芽烘干。在这过程中麦芽吸收了其中的烟味，而且把这种香味带到了成品中去。将烘干的麦芽放入古老的磨具中，加水磨成麦芽浆。在麦芽浆中加入酵母，对其进行发酵。把完成发酵的麦芽浆注入铜制蒸馏器中，高温蒸馏两次，产生清澈透明的酒液，把酒液注入橡木桶中陈年，通过橡木的呼吸作用接触空气，与木桶的焦炭发生变化，使酒中的不洁之物得以澄清，且吸收了焦糖的色素和香气，使得酒液变成琥珀色，这个过程最少需要三年。而酿酒师还会将两种以上的纯威士忌进行掺杂混合，再重倒回桶中醇化一段时间。

苏格兰的威士忌闻名世界，酒吧常见的威士忌大多产自苏格兰，另外，爱尔兰、美国、加拿大、日本等也产威士忌。

GIN GIN GIN GIN GIN

毡　酒　GIN

　　毡酒又名杜松子酒、琴酒、金酒等，是以玉米、大麦等谷物为原料，发酵加水，再加入杜松子、苦杏仁、柠檬和橙皮等香料蒸馏而成的，酒液无色透明，散发出杜松子和谷物的清香，令人回味无穷，味道清冽醇厚，口感极为清爽。

　　毡酒的故乡在荷兰，在17世纪由荷兰来顿大学的医学教授在研究一种利尿药时发明的。大约是1660年，大学医师希尔维思（SYVIVS）博士把杜松子浸泡在乙醇中蒸馏，作为解热剂让药店出售。人们发现这种含有高浓度酒精的药，其实也可作为一种清香爽口的烈性酒来饮用，荷兰人称之为GENEVER。后来荷兰人把这种酒大量销往英国，由英国人缩写为GIN而得名。

　　毡酒的酿制过程：将玉米、大麦浸泡发芽，将麦芽磨成麦芽浆，加入酵母发酵产生酒精，把发酵的酒液进行第一次蒸馏，以提高酒液中的酒精含量，再把香料浸泡在酒液中一同蒸馏，以提取香料的成分和香味。这时的酒液酒精含量已达90%，要加水将酒精浓度降低，然后通过过滤，最后装瓶上市。

　　毡酒的主要生产国为英国和荷兰，另外还有美国和加拿大。英国的毡酒一般较干（DRY），荷兰的毡酒则较英国的甜（SWEET）。

莱姆酒 RUM

莱姆酒又名朗姆酒，是一种烈性酒，由甘蔗发酵蒸馏而成。莱姆酒酒色透明纯净，口味干爽。这种味道浓烈的酒，在木桶中成熟，散发出柔和、浓厚的香味，口感清凉干爽。莱姆酒因产地和酿制方法不同，有许多类型。按色泽分类可分为白莱姆酒、金色莱姆酒和黑色莱姆酒三大类，颜色取决于所加的焦糖和陈年的时间。如果按风味为标准分类，可分为清爽型莱姆酒、柔和型莱姆酒和厚重型莱姆酒。

莱姆酒的发源地是西印度群岛，17世纪初，掌握蒸馏技术的英国人，移民到巴贝多岛（Barbados），开始利用此地盛产的甘蔗酿酒，初次饮用这种酒的土著居民因酒醉而兴奋。

莱姆酒的酿制过程：将收割的甘蔗送到工厂，用滚桶式压榨机把甘蔗榨汁过滤，得到一种金黄色的糖水，将糖水加入酵母进行发酵，在发酵过程中，酵母的作用将糖分转化为酒精。发酵完成后将酒液注入铜制的蒸馏器中，连续进行两次蒸馏，使酒液的酒精含量在90％左右。然后注入木桶中陈年，一般情况下，白色莱姆酒需3年，金色莱姆酒需5年，而黑色莱姆酒需要5－15年。在陈年过程中，金色莱姆酒和黑色莱姆酒要按比例加入焦糖，而白色莱姆酒则不加焦糖。最后通过加水把酒精浓度降低，把酒过滤、装瓶。

莱姆酒以巴西、牙买加、古巴和东印度群岛生产的最为出名。

伏 特 加 VODKA

伏特加是一种无色无味的烈性酒,分普通伏特加和加味伏特加两种。普通伏特加无色无味,清澈透明,酒香清纯怡人,口感清爽,独具特色。而加味伏特加则添加了香草、香料及水果,颜色有红色和淡黄色。

相传12世纪时,波兰人首先发明了伏特加酒,波兰人称之为WODKA,到17世纪伏特加才引入俄罗斯,且被称之为VODKA,意思为"生命之水",到今,伏特加成为了俄罗斯的国酒。据说,在12世纪时,伏特加是以蜂蜜为原料的,到了17世纪左右,开始用大麦,后来用从美国运来的玉米和马铃薯为原料。

伏特加的酿制过程:将谷物原料——大麦和马铃薯磨碎,并泡在热水中加压煮成浆液,然后把浆液倒入发酵桶中,加入酵母进行发酵。由于浆液中含有淀粉质和糖分,酵母将其成分转化为酒精。经过发酵的浆液被注入蒸馏器中,进行两次的连续蒸馏提高纯度,以得到一种高质的无色无味的中性酒。然后加水将酒精度数降低至需求,再经过活性炭过滤,以确保酒质绝对清纯,最后装瓶上市。

伏特加以俄罗斯产出名,在美国、波兰、荷兰也有生产。

龙 舌 兰

TEQUILA

　　龙舌兰酒又名仙人掌酒或墨西哥烈酒，由生长在墨西哥的一种类似仙人掌的植物——龙舌兰为原料酿制而成的。仙人掌酒的酒体分别是呈无色透明和金黄色的，无色透明是未经陈年的，故此口味纯正而浓烈，香味清纯，而金黄色则经过陈年，其酒味醇厚，香味浓郁。

　　龙舌兰酒的酿制过程：龙舌兰的杆、茎经过蒸、煮后，被榨出甜美的汁液，将汁液加入酵母进行发酵，然后进行蒸馏。蒸馏以后可以直接装瓶，成为无色透明的龙舌兰酒，带有龙舌兰的芬芳，味道刺激。也可入桶陈年，而经过陈年的酒，呈金黄色，味道跟白兰地相似。

　　龙舌兰酒是墨西哥的特产酒，因为地域性强，其他地方极少生产。

TEQUILA

鸡尾酒 的 配料 >

碳酸饮料：主要指苏打水、汤力水、
雪碧、可乐等。

利口酒：利口酒又称甜酒，是用烈酒、
甜味糖浆混以水果、香料等物质调配
而成的，可增加鸡尾酒的风味。

果汁

果糖

调制器具及酒杯

冲调匙：搅拌之用，或帮助
注入液体材料。

量杯

雪克壶

果汁搅拌机

酒杯

鸡尾酒 的基本调制方法

世界各地的鸡尾酒品种多样，无法尽数，但调制方法只有最基本的四种——摇和法、调和法、混合法、搅拌法。

摇和法

饮品中有较难分解混合的成分，如鸡蛋白、红糖水、忌廉、白糖胶等，常用此手法。通常是将酒料、冰块等加入雪克壶中，通过手臂摇动来混合出各种鸡尾酒。

将冰块加入雪克壶中。

加入酒料。

1 2 3 4

将冰块和酒料充分摇匀。

将摇和好的酒隔冰滤入杯中。

调和法

　　使饮品中的成分充分混合为一体，不分层或起沉淀，饮品中没有难溶解的成分时用此种手法。将酒料直接倒入杯中，加入冰块，用调酒棒或冲调匙搅拌，在杯中直接调制鸡尾酒。

将冰块投入杯中。

加入烈酒。

注入果汁或辅料。

用冲调匙充分调和。

1 2 3 4

混合法

　　饮品中有易于充分混合的成分，不需要调和，可以使用这种手法直接将饮品混合。将基酒和其他酒料倒入杯中，再加入各种饮料直接混和成鸡尾酒。

1. 将冰块投入杯中。
2. 注入碳酸汽水。
3. 加入酒料，使其自然混合。

搅拌法

此手法常用于有鸡蛋黄、忌廉、糖胶和大量冰块等难溶解的鸡尾酒，大分量的鸡尾酒也常用此手法来得到充分混合。这种方法是利用电动搅拌机或果汁搅拌机，将酒料加入冰块一起搅拌调成鸡尾酒。

1.将冰块投入搅拌机中。

2.加入酒料。

3.注入果汁。

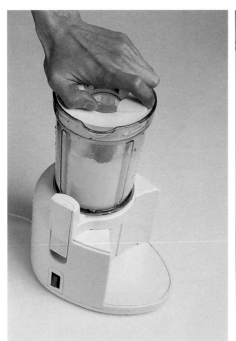

4.将冰块与所有材料充分搅拌。

5.将搅拌好的酒料注入杯中。

应
用
篇

有人说，一杯好的鸡尾酒，应该是色、香、味俱全的艺术品，确实没错，要真正懂得调配鸡尾酒，只掌握基本的技巧是不够的，关键还是创意，把人的心情思想用不同的味道演绎出来，有时是柔和的，有时是激烈的，让品酒者品出酒的香，品出酒中的百般滋味。

绿蔷薇

材料 ◎ ○○○

毡　酒‥‥‥30 毫升
菠萝汁‥‥‥60 毫升
柠檬汁‥‥‥15 毫升
绿薄荷‥‥‥15 毫升
冰　块‥‥‥5-6 块

做　法

1. 将冰块加入杯中。
2. 将毡酒注入放有冰块的杯中。
3. 再注入菠萝汁。
4. 然后注入柠檬汁，最后注入绿薄荷。

「忧 郁 的 月 亮」

 做 法

1.将冰块加入杯中。

2.将紫罗兰利口酒注入放有冰块的杯中。

3.将毡酒注入雪克壶中。

4.再注入香橙利口酒。

5.然后注入柠檬汁。

材 料

毡酒·········30毫升
香橙利口酒···15毫升
柠檬汁·······15毫升
紫罗兰利口酒·20毫升
冰块·········半杯量

6.将酒料加冰摇匀。

7.最后注入摇匀的酒料。

「紫 水 晶」

  做 法

1. 将毡酒注入雪克壶中。

2. 注入香橙利口酒。

3. 再注入柠檬汁。

4. 然后注入白果糖。

5. 将酒料加冰摇匀。

材料

毡酒	45毫升
紫罗兰利口酒	10毫升
香橙利口酒	30毫升
柠檬汁	15毫升
白果糖	15毫升

6. 将摇匀的酒料注入杯中。

7. 最后注入紫罗兰利口酒。

樱桃得其利

做法

1. 将莱姆酒注入雪克壶中。

2. 将樱桃白兰地注入加莱姆酒的雪克壶中。

3. 然后注入柠檬汁。

4. 加冰将酒料摇至冰冻。

5. 最后将酒料注入杯中。

材料

莱姆酒·····30 毫升
樱桃白兰地··15 毫升
红糖水·····15 毫升

材 料 ○ ○○○

伏特加酒···30毫升
君度酒····30毫升
柠檬汁·····15毫升

做 法

1.将伏特加酒注入
雪克壶中。

2.再注入君度酒。

3.然后注入柠檬汁。

4.将酒料加冰摇至
冰冻。

5.最后将酒料注入
杯中。

蓝色夏威夷

做 法

1. 将冰块加入杯中。

2. 注入椰奶。

3. 注入白果糖。

4. 将莱姆酒注入雪克壶中。

5. 再注入蓝橙利口酒。

6. 然后注入菠萝汁。

材 料

莱姆酒	45 毫升
蓝橙利口酒	30 毫升
菠萝汁	30 毫升
椰 奶	30 毫升
白果糖	15 毫升
冰 块	半杯量

7. 将酒料加冰摇匀。

8. 最后将酒料慢慢注入杯中。

墨 西 哥 日 出

 做 法

1. 将龙舌兰酒注入搅拌机中。

2. 注入君度酒。

3. 再注入柠檬汁。

4. 然后注入白果糖。

5. 将酒料加冰搅拌。

材　料	
龙舌兰酒	45毫升
君度酒	15毫升
柠檬汁	15毫升
白果糖	30毫升
红糖水	10毫升
冰　块	6-8块

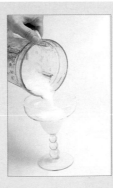

6. 将搅拌好的酒料注入杯中。

7. 最后注入红糖水。

「纱莉教堂」

材料

美雅仕莱姆酒···	30 毫升
红糖水········	45 毫升
汽　水········	90 毫升
冰　块········	半杯量

① ② ③ ④

做 法

1. 将冰块加入杯中。

2. 将红糖水注入放有冰块的杯中。

3. 然后慢慢注入汽水在红糖水上面。

4. 最后慢慢注入美雅仕莱姆酒。

莱茵河恋曲

材料 ○ ○○○

蓝橙利口酒‧‧20毫升
杏仁利口酒‧‧15毫升
柠檬汁‧‧‧‧‧15毫升
冰 块‧‧‧‧‧‧3-5块

做 法

1. 将蓝橙利口酒注入雪克壶中。
2. 再注入杏仁利口酒。
3. 然后注入柠檬汁。
4. 将酒料加冰摇至冰冻。
5. 最后将酒料注入杯中。

歌 梦 剧 院

  做 法

1.将莱姆酒注入雪克壶中。

2.注入椰子莱姆酒。

3.再注入柠檬汁。

4.然后注入红糖水。

5.加入冰块，将酒料摇匀。

6.将摇匀的酒料注入放有冰块的杯中。

材 料

莱姆酒·······30 毫升
椰子莱姆酒···15 毫升
柠檬汁·······15 毫升
红糖水·······10 毫升
菠萝汁·······60 毫升
橙　汁·······30 毫升

7.慢慢注入橙汁浮在酒料上面。

8.最后注入菠萝汁。

翡 翠 岛

  做 法 · · · · · · · · ·

1. 将冰块加入杯中。

2. 注入半杯量的汽水。

3. 将毡酒注入雪克壶中。

4. 再注入薄荷酒。

5. 然后注入柠檬汁。

材 料
毡 酒·····45毫升
薄荷酒·····15毫升
柠檬汁·····15毫升
汽 水·····1罐
冰 块·····半杯量

6. 将酒料加冰摇匀。

7. 最后将酒料注入杯中浮在汽水上面。

「梦幻影院」

 做 法

1.将莱姆酒注入雪克壶中。

2.再注入香橙利口酒。

3.注入柠檬汁。

4.注入白果糖。

5.将酒料加冰摇匀。

6.将摇匀的酒料注入加冰的杯中。

材 料

莱姆酒······45 毫升
香橙利口酒··30 毫升
柠檬汁·····15 毫升
白果糖·····15 毫升
橙汁·······30 毫升
菠萝汁·····45 毫升

7.将橙汁慢慢注入杯中。

8.最后注入菠萝汁。

「少女的祈祷」

做 法

1. 将香橙利口酒注入雪克壶中。
2. 注入橙汁。
3. 将酒料加入冰块摇匀。
4. 将酒料注入杯中。
5. 最后注入红糖水。

材 料

香橙利口酒	20 毫升
橙 汁	25 毫升
红糖水	15 毫升

椰 林 魅 影

材 料 ○ ○○○

椰子莱姆酒‥45 毫升
鲜橙汁‥‥‥60 毫升
椰　奶‥‥‥30 毫升
冰　块‥‥‥半杯量

做　法

1. 将冰块加入杯中。
2. 将椰子莱姆酒注入放有冰块的杯中。
3. 注入鲜橙汁。
4. 最后注入椰奶。

「百慕达芳香」

  做 法

1. 将冰块加入杯中。

2. 将毡酒注入放有冰块的杯中。

材　　料

毡酒·········30 毫升
杏仁利口酒···10 毫升
蓝橙利口酒···20 毫升
柠檬汁·······15 毫升
橙汁·········60 毫升
冰块·········半杯量

3. 注入杏仁利口酒。

4. 再注入橙汁。

5. 然后注入柠檬汁。

6. 最后注入蓝橙利口酒。

杏桃得其利

做·法

1. 将莱姆酒注入搅拌机中。

2. 再注入柠檬汁。

材 料

莱姆酒······45 毫升
柠檬汁······15 毫升
杏仁利口酒··10 毫升
桃果肉······1 个

3. 然后注入杏仁利口甜酒。

4. 加入桃果肉。

5. 将酒料加冰搅拌。

6. 最后将酒料注入杯中。

情深玛格丽特

  做 法

1.将杯子粘盐边备用。

2.注入龙舌兰酒。

3.注入香橙利口酒。

4.再注入柠檬汁。

5.然后注入红糖水。

材 料	
龙舌兰酒	40毫升
香橙利口酒	30毫升
柠檬汁	30毫升
红糖水	30毫升

6.将酒料加冰搅拌。

7.最后将搅拌好的酒料注入粘有盐边的杯中。

香蕉得其利

做 法

1.将莱姆酒注入搅拌机中。

2.再注入香橙利口酒。

3.然后注入柠檬汁。

4.将香蕉加入搅拌机中。

材 料

莱姆酒······45毫升
香橙利口酒··15毫升
柠檬汁······15毫升
香蕉········1个
冰块·······5-6块

5.加入冰块搅拌。

6.最后将搅拌好的酒料注入杯中。

椰 林 飘 香

做 法

1. 将莱姆酒注入搅拌机中。

2. 注入椰子莱姆酒。

材 料

莱姆酒·····15 毫升
椰子莱姆酒··30 毫升
椰　奶·····60 毫升
菠萝汁·····60 毫升
冰　块·····6-8 块

3. 注入菠萝汁。

4. 注入椰奶。

5. 加入冰块搅拌。

6. 最后将搅拌好的酒料注入杯中。

草 莓 得 其 利

 做 法

1. 将莱姆酒注入搅拌机中。

2. 再注入香橙利口酒。

材 料

莱姆酒······30毫升
香橙利口酒···15毫升
柠檬汁······15毫升
草莓浆······30毫升
冰 块······5-6块

3. 然后注入柠檬汁。

4. 将草莓浆注入加酒料的搅拌机中。

5. 将酒料加冰搅拌。

6. 将搅拌好的酒料注入杯中。

咖啡亚历山大

做法

1. 将毡酒注入雪克壶中。

2. 然后注入咖啡利口酒。

3. 将酒料加冰摇匀。

4. 将酒料注入杯中。

5. 最后慢慢注入鲜牛奶。

材料

毡　　酒	20毫升
咖啡利口酒	30毫升
鲜牛奶	10毫升

材 料 ○ ○○○

莱姆酒···45 毫升
橙　汁···60 毫升
菠萝汁···60 毫升
红糖水···15 毫升
冰　块···半杯量

做　法

1. 将冰块加入杯中。
2. 将莱姆酒注入杯中。
3. 再注入橙汁。
4. 然后注入菠萝汁。
5. 最后注入红糖水。

「芒果得其利」

做 法

1.将莱姆酒注入搅拌机中。

2.再注入香蕉利口酒。

材 料

莱姆酒‧‧‧‧‧‧45毫升
香蕉利口酒‧‧‧15毫升
柠檬汁‧‧‧‧‧‧‧15毫升
芒果肉‧‧‧‧‧‧‧1个

3.然后注入柠檬汁。

4.将芒果肉加入搅拌机中。

5.将酒料加冰搅拌。

6.最后将酒料注入杯中。

紫罗兰之恋

做 法

材　料

毡　酒·······30毫升
紫罗兰利口酒···30毫升
柠檬汁·······15毫升
雪　碧·······120毫升

1.将毡酒注入雪克壶。

2.再注入紫罗兰利口酒。

3.注入柠檬汁。

4.将酒料加入冰块摇至冰镇。

5.将酒料注入杯中。

6.最后慢慢注入雪碧。

「百慕达玖瑰」

做 法

1. 将莱姆酒注入雪克壶中。

2. 注入杏仁甜酒。

材 料

莱姆酒·····30 毫升
杏仁甜酒···10 毫升
柠檬汁·····20 毫升
红糖水·····10 毫升

3. 再注入柠檬汁。

4. 然后注入红糖水。

5. 将酒料加冰摇至冰冻。

6. 最后将酒料注入杯中。

「蓝色天际」

 做 法

1. 将冰块加入杯中。

2. 注入半杯量汽水。

3. 将蓝橙利口酒注入雪克壶中。

4. 再注入毡酒。

5. 然后注入柠檬汁。

材 料

毡　　酒······30 毫升
蓝橙利口酒···20 毫升
柠檬汁······10 毫升
汽　　水······1 罐
冰　　块······半杯量

6. 将酒料加冰摇匀。

7. 最后将酒料注入放有冰和汽水的杯中。

自 由 古 巴

1.将莱姆酒注入雪克壶中。

2.再注入白果糖。

材　料

莱姆酒···45毫升
柠檬汁···15毫升
白果糖···15毫升
可 乐····半杯量

3.然后注入柠檬汁。

4.将酒料加冰摇匀。

5.将摇匀的酒料注入杯中。

6.最后将可乐注入放有酒料的杯中。

蓝魔怪

材 料 ○ ○○○

毡酒·········45毫升
蓝橙利口酒···15毫升
柠檬汁·······15毫升

做 法

1. 将毡酒注入雪克壶中。

2. 再注入蓝橙利口酒。

3. 然后注入柠檬汁。

4. 加冰将酒料摇至冰冻。

5. 最后将酒料注入杯中。

香 瓜

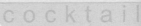

材 料

45 毫升···莱姆酒
30 毫升···橙　汁
15 毫升···柠檬汁
4 片·····密瓜肉

做　法

1. 将莱姆酒注入搅拌机中。

2. 再注入橙汁。

3. 然后注入柠檬汁。

4. 将密瓜肉加入搅拌机中与酒料搅拌。

5. 将搅拌好的酒料注入杯中。

菠萝岛风光

 做 法

1.将菠萝去皮切成小块。

2.将菠萝肉榨汁。

3.将菠萝汁注入雪克壶中。

4.将莱姆酒注入雪克壶中。

5.注入椰奶。

材 料

菠萝·····一个
莱姆酒···30毫升
椰奶·····30毫升
冰块·····适量

6.将酒料加冰摇至冰冻。

7.最后将摇至冰冻的酒料注入杯中。

情 迷 夏 湾 娜

 做 法

1.将杯子粘盐边备用。

2.将龙舌兰酒注入雪克壶中。

3.注入柠檬汁。

4.再注入白果糖。

5.然后注入蓝橙利口酒。

材 料

龙舌兰酒····40 毫升
蓝橙利口酒··20 毫升
柠檬汁·····30 毫升
白果糖·····20 毫升
冰块·······5-6 块

6.将冰块加入摇至冰冻。

7.最后将酒料注入粘有盐边的杯中。

71

「俄罗斯雪屋」

材 料

伏特加酒····30毫升
咖啡利口酒··45毫升
鲜牛奶······30毫升
冰块·······半杯量

① ② ③ ④

做 法

1.将冰块加入杯中。

2.将伏特加酒注入加有冰块的杯中。

3.注入咖啡利口酒。

4.最后慢慢注入鲜牛奶。

巴比伦海岸

材料 ○|○○○

毡　酒·····30 毫升
薄荷酒·····15 毫升
可可利口酒··30 毫升
鲜牛奶·····30 毫升
冰块·······半杯量

做　法

1. 将冰块加入杯中。
2. 将毡酒注入放有冰块的杯中。
3. 再注入可可利口酒。
4. 然后注入薄荷酒。
5. 最后慢慢注入鲜牛奶。

「天 堂 鸟」

做 法

1.将莱姆酒注入搅拌机中。

2.注入椰子莱姆酒。

3.注入30毫升菠萝汁。

4.注入红糖水。

5.加入冰块搅拌。

6.将搅拌好的酒料注入杯中。

7.将橙汁注入搅拌机中。

8.注入30毫升菠萝汁。

9.注入蓝橙利口酒。

10.加入冰块搅拌。

11.将搅拌好的酒料注入放有酒料的杯中。

材 料	
莱姆酒	30毫升
椰子莱姆酒	20毫升
菠萝汁	60毫升
红糖水	10毫升
橙 汁	30毫升
蓝橙利口酒	10毫升
冰 块	6-10块

龙舌兰夏湾娜

做 法

1. 将杯粘上盐边备用。

2. 将龙舌兰酒注入搅拌机中。

材 料

龙舌兰酒·····45 毫升
蓝橙利口酒···30 毫升
柠檬汁·······30 毫升
食 盐········1 碟

4. 再注入柠檬汁。

5. 然后注入蓝橙利口酒。

6. 将酒料加冰搅拌。

7. 最后将搅拌好的酒料注入粘盐边的杯中。

「樱唇」

材料 ○ ○○○

毡　酒··· 30 毫升
柚子汁··· 15 毫升
红糖水··· 10 毫升

做法

1. 将毡酒注入雪克壶中。

2. 再注入柚子汁。

3. 然后注入红糖水。

4. 将酒料加冰摇匀。

5. 最后将酒料注入杯中。

鸡尾酒 的 分类 >

长饮 与短饮

　　长饮，是调制成适于消磨时间悠闲饮用的鸡尾酒。酒精浓度为8度左右，通常会加入苏打水、果汁等，且用大容量酒杯饮用。虽然称为长饮，但最好还是在30分钟内喝完为佳。

　　短饮，也就是要短时间内喝完的鸡尾酒，最好是调好后10~20分钟内饮用，时间长了风味就会减弱。短饮的酒精浓度也较高，通常为30度左右，使用的是鸡尾酒杯。

弗林明戈(长饮)

少女的祈祷(短饮)

按 饮用时间分

　　正餐前鸡尾酒，就是正餐前喝，通常是甜味不强烈、口感较清爽，可以滋润喉咙，增进食欲。

　　正餐后鸡尾酒，即正餐后喝的鸡尾酒，一般是利用甜露酒的风味调出的甘甜浓重的鸡尾酒，可使用餐后口气清新，以及促进消化。

　　睡前鸡尾酒，即安眠酒，在睡前为了能熟睡而喝的，一般以白兰地为基酒，味道较浓重，也会使用鸡蛋。

　　全天可饮的鸡尾酒，也就是任何时候喝都没关系，多数鸡尾酒都属这一类，上面说到的几种鸡尾酒也不必过分拘泥于时间，其他时候喝也可以。

图书在版编目(CIP)数据

鸡尾酒 / 蓝永强编著，—广州：广东经济出版社，2005.3
（都市时尚饮品丛书）
ISBN 7-80677-957-4

Ⅰ．鸡… Ⅱ．蓝… Ⅲ．鸡尾酒—配制—图解
Ⅳ．TS972.19-64

中国版本图书馆 CIP 数据核字(2005)第 023426 号

出　版 发　行	广东经济出版社（广州市环市东路水荫路 11 号 5 楼）
经　销	广东新华发行集团
印　刷	广州伟龙印刷制版有限公司 （广州沙河沙太路银利街工业村一幢）
开　本	889 毫米×1194 毫米　　1/32
印　张	2.5
版　次	2005 年 4 月第 1 版
印　次	2005 年 4 月第 1 次
印　数	1~10 000 册
书　号	ISBN 7-80677-957-4/TS • 70
定　价	全套定价：75.00 元　本册定价：15.00 元

如发现印装质量有问题，影响阅读，请与承印厂联系调换。
发行部地址：广州市合群一马路 111 号省图批 107 号
电话：〔020〕83780718　83790316　邮政编码：510100
邮购地址：广州市东湖西路永胜中沙 4-5 号 6 楼　邮政编码：510100
（广东经世图书发行中心）　电话：（020）83781210

图书网址：http://www.gebook.com